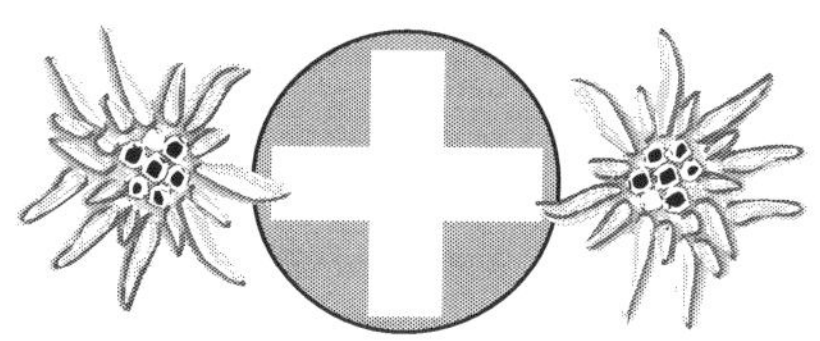

Schweizer Volkslieder

für Akkordeon

Impressum

Wild 20083 / ISBN 978-3-906848-14-3 / ISMN 979-0-2058-0635-4

Bearbeitung:
Nelly Leuzinger

Notensatz:
Regina Krauß, Speyer

Umschlaggestaltung:
Rauchbauer & Partner Werbeagentur GmbH,
Gaimersheim

www.wild-verlag.ch

Inhalt

J. C. Willi

Walzertempo

1. 's Schwy - zer - länd - li isch nu chlii, a - ber schö - ner chönnt's nit sii! Gang i

C c c D dm dm G g7 g7 C c

d'Wält so wiit du witt, schön - ri Länd - li gits gar nit! Tra - la

G g7 C c D G c C c

tra - la - la, tra - la tra - la - la, schön - ri Länd - li gits gar nit!

G g7 g7 C c F dm G c C

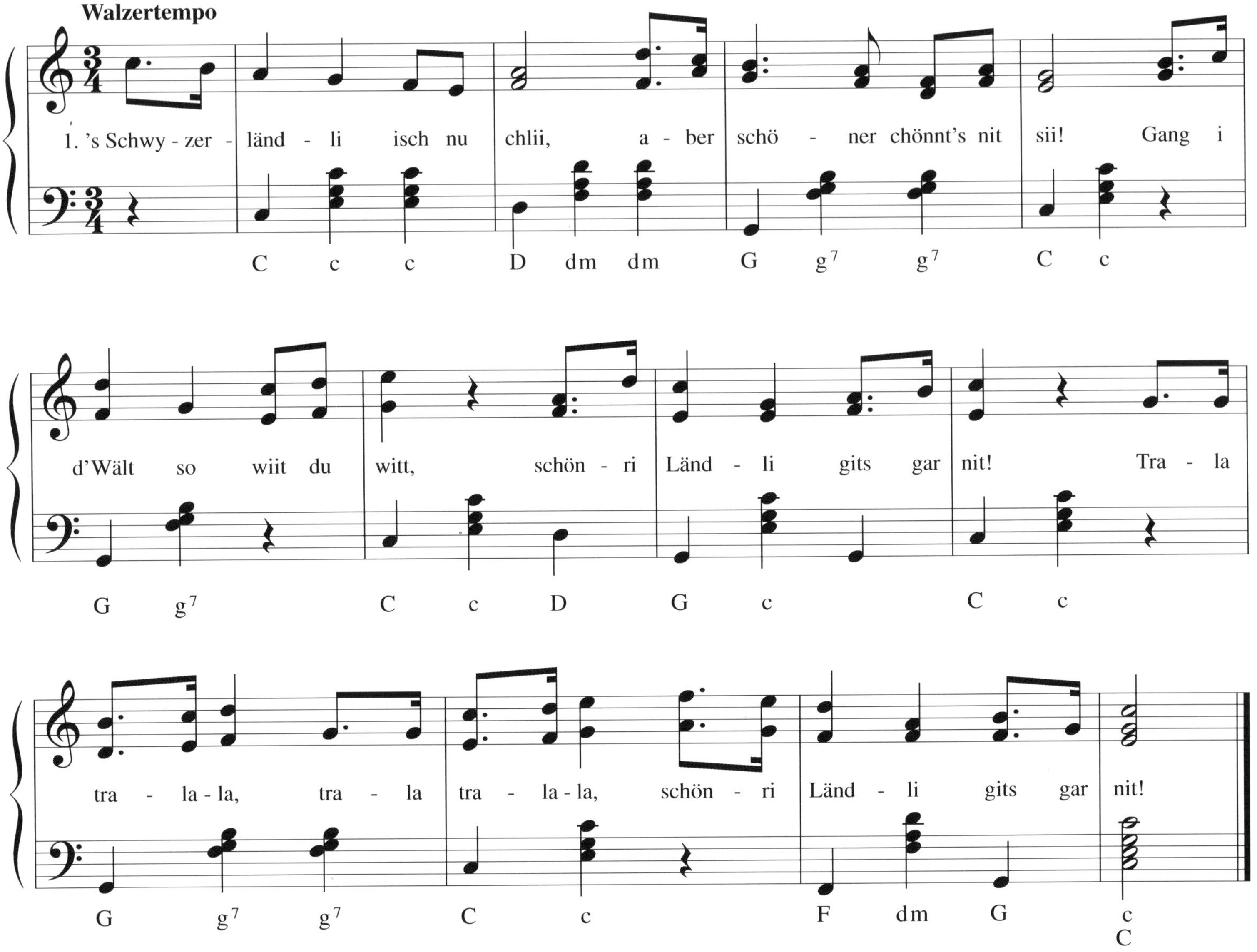

2. Berge, wie de Himmel hoch,
mit de schöne Gleschtʼre noch,
uf de Alpe Herdeglüt,
Jodler, schöner nützti nüt!
Tra-la tra-la-la, tra-la tra-la-la,
Jodler, schöner nützti nüt!

3. See-e blau und spiegelglatt,
wie me luegt, me wird nit satt;
Schiffli fahred hi und her,
wie wenn's all' Tag Sunntig wär!
Tra-la tra-la-la, tra-la tra-la-la,
wie wenn's all' Tag Sunntig wär!

Lueget vo Berg und Tal

Jos. Anton Henne (1798–1870)
Ferdinand Huber (1791–1863)

2. Lueget do abe-n-an See,
Heimet zue wendet sich 's Veh.
Losed, wie d'Glogge, die schöne,
fründli im Moos üs ertöne.
Chüejerglüt, üseri Lust,
𝄆 tuet is so wohl i der Brust. 𝄇

3. Still a de Berge wird's Nacht,
aber der Herrgott, dä wacht.
Gsehnder scho 's Stärnli dört schine?
Stärnli, wie bisch du so frine!
Gsehnder, am Nebel dört stoht's
𝄆 Stärnli, Gott grüess di, wi goht's? 𝄇

4. Losed, es seit is: „Gar guet!
Het mi nid Gott i der Huet?
Frili, der Vater vo alle
loht mi gwüss währli nid falle.
Vater im Himmel, dä wacht!"
𝄆 Stärnli, liebs Stärnli, guet Nacht! 𝄇

Morge früch, wenn d'Sunne lacht

Alois Glutz
(1789 – 1827)

2. Chleb u Blösch u Spiess u Stern,
chömet her, i gsehn ech gern,
lueget nur, i ha kei Stäcke,
i der Täsche han i z'läcke,
chömet, chömet alli zue,
i ha Sache's gnue.
Jodel

3. Ha's doch dänkt, es chömm derzue,
dass i geb en Sennebueb.
Uf de Berge isch guet z'läbe,
d'Chüejer juchze nid vergäbe.
Bi de Chüehne-n-uf de Weid,
hä de Senn si Freud.
Jodel

4. Lueget da mis Bethli a,
wie-n-es si dri schicke cha.
Es cha mälche, es cha chäse
d'Nidle schwinge mit em Bäse,
alles, alles, was es cha,
schteit ihm gar wohl a.
Jodel

Niene geits so schön und luschtig

Christian Wiedmer
(1888–1857)

2. Da git's nüt vo Kumplimänte,
allne seit me numme „Du“,
sig's de Milchbueb mit der Bränte
oder trag er Ratsherrschueh.
Jodel

3. Manne hät es ehrefeschti,
Wyber brav u hübscher Art.
Meitschi, we d'se gsesch, so häsch di
dri verliebt, so schön und zart.
Jodel

4. Bäckli hei si frisch wie Rose,
Auge wie de Morgenstern,
und – jetzt werdet ihr erscht lose –
si hei d' Buebe grüsli gern.
Jodel

’s Vreneli am Thunersee

J. C. Ott (1818 – 1879)
L. G. Müller (1793 – 1868)

2. Und sitzi näher zunem zue,
und wott es blitzli zärtli tue,
so wehrt’s mit Arm und Beine.
Und macht es Gsichtli sur und süess
und flieht und lacht und süfzget lis:
ach nei, ach nei, ach nei, dir sid o eine.

3. De fan-i halt o süfzen a
und bitte: „Schätzli, säg o ja“,
so guet wie-n i meints keine.
De luegts a Bode und wird rot
und seit i siner Herzensnot:
ach nei, ach nei, ach nei, dir sid o eine.

4. Und nimm es de gar sanft i Arm
und lueges a so warm, so warm,
de fühlt es, wie-n-is meine.
Sis Herzli chlopft voll Seligkeit,
es spielt am Fürtuechband und seit:
ach nei, ach nei, ach nei, dir sid o eine.

5. Und küssi’s de us Herzensgrund,
und küssi’s uf si süesse Mund,
so faht’s vor Lust a weine,
vergisst si Stolz und d’Welt und alls
und fallt mir selig um e Hals
und seit, und seit, und seit, du bisch o eine.

's Blüemli

G. S. Kuhn (1775 – 1825)
Otto Plötz (1825 – 1888)

2. O lasst mi bi mim Blüemli si,
's git ja keis me so!
Es tröpflet wohl es Tränli dri,
ach, i mag nümme luschtig si,
mag nümme luschtig si.
𝄆 O Blüemli mi, o Blüemli mi,
i möcht, i möcht gern bi dir si. 𝄇

3. Und wenn i einisch gstorbe bi,
und 's Blüemli au verblüet,
so tüend mir doch mis Blüemli
zu mir ufs Grab, das bitten-i,
ufs Grab, ufs Grab zu mir.
𝄆 O Blüemli mi, o Blüemli mi,
i möcht, gern bi dir si. 𝄇

Im Aargäu sind zwöi Liebi

2. 𝄆 Und der Jungknab zog zu Kriege, 𝄇 wenn
chonnt er wiederum hei, hei, hei,
wenn chonnt er wiederum hei.

3. 𝄆 Übers Jahr im andere Summer, 𝄇
wenn d'Schtüdeli träget Laub, Laub, Laub,
wenn d'Schtüdeli träget Laub.

4. 𝄆 Und's Johr und das wär umme, 𝄇
der Jungknab zog wiederum hei, hei, hei,
der Jungknab zog wiederum hei.

5. 𝄆 Gott grüess di, du Hübschi, du Fini, 𝄇
vo Herze gefallisch du mir, mir, mir,
vo Herze gefallisch du mir.

6. 𝄆 Was bruch i dir no z'gfalle, 𝄇
ha scho längscht en andere Maa, Maa, Maa,
ha scho längscht en andere Maa,

7. 𝄆 Und er zog durs Gässeli abe, 𝄇
und truret und weinet so sehr, sehr, sehr,
und truret und weinet so sehr.

Mir Senne hei's luschtig

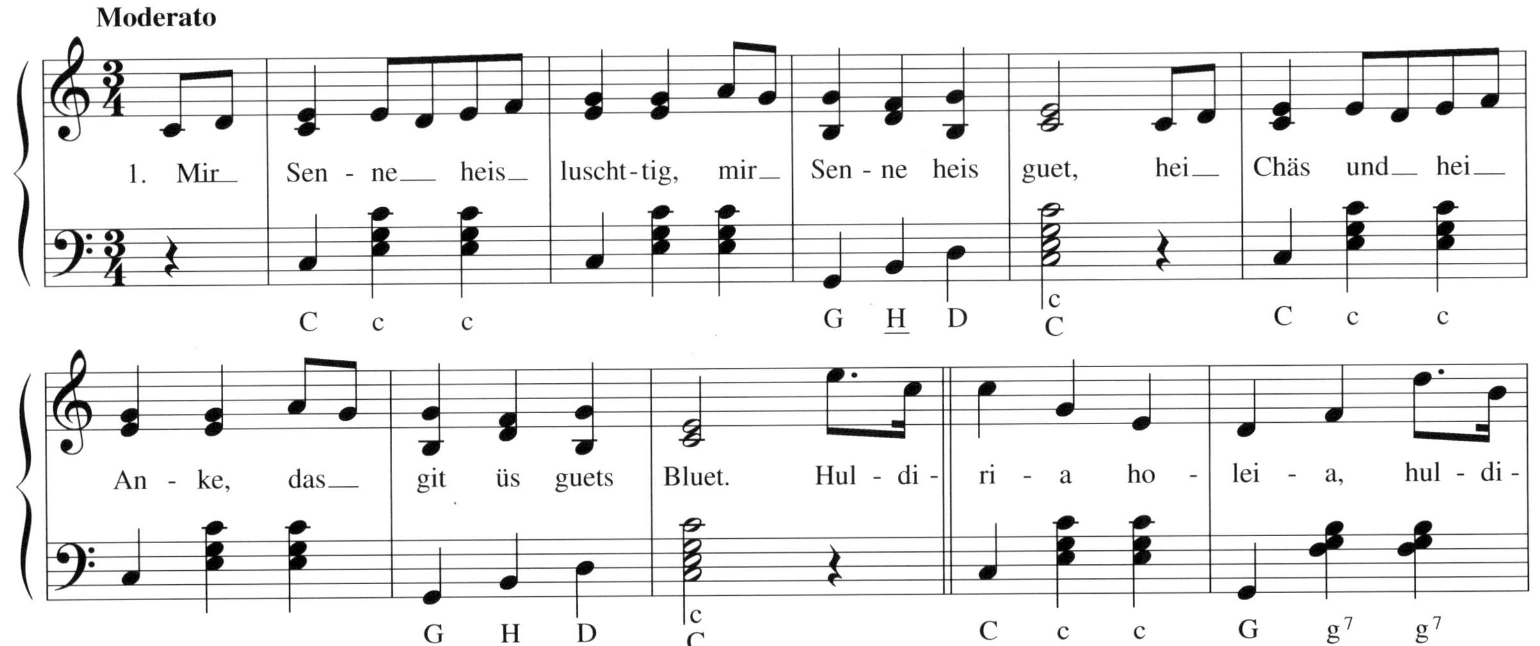

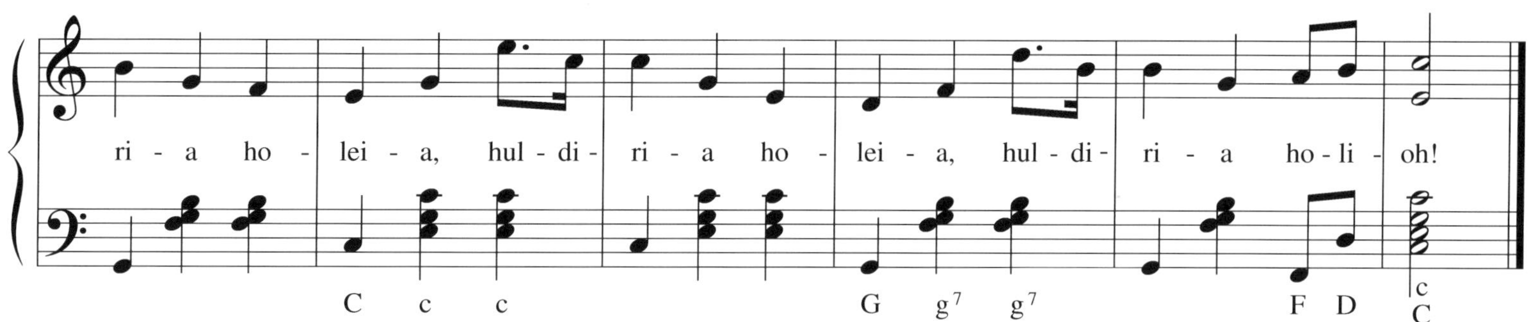

2. Am Morge bim Mälche, am Tag uf der Weid,
   wird gsunge und gjohlet, es isch halt e Freud.
   Huldiria …

3. Und chum i zur Hütte, rüeft ’s Bethli mir zue:
   „Chum hurti, min Hansli, wie lang machsch au du!“
   Huldiria …

4. Und es Spinnrad und e Bettstatt, und e tschäggeti Chue,
   das git mir min Ätti, wenn i hürate tue.
   Huldiria …

5. Und e nigel-nagel-nöis Hüsli und e nigel-nagel-nöis Dach,
   und e nigel-nagel-nöis Fänschter mit Hudle vermacht.
   Huldiria …

Mir verchaufed a der Tante ihres Hüsli

Frisch

1. Mir ver - chau - fed a der Tan - te ih - res Hüs - - li, ih - res Hüs - - -

C E F F♯ G A H C c G c H g7 G g7

li, ih - res Hüs - - - li. Mir ver - chau - fed a der Tan - te ih - res

D g7 G g7 C c G c C g7 G C E F F♯

Hüs - li, mit der ersch - te und der zwei - te Hy - po - thek.

G A H C c E c F f G g7 C A G E C

2. Mini Tante fahrt im Hüehnerhof
   Motorrad, ja Motorrad, ja Motorrad.
   Mini Tante fahrt im Hüehnerhof
   Motorrad, ohni Länker, ohni Brämse,
   ohni Liecht.

3. Mini Tante hät en Hafe mit Belüchtig,
   mit Belüchtig, mit Belüchtig.
   Mini Tante hät en Hafe mit Belüchtig,
   mini Tante, mini Tante isch modern.

Dur 's Oberland uf

2. ‖: Min Schatz isch en schöne, er schönet no vill,
er schönet und schönet, bis en niemert meh will. :‖

3. ‖: Der Liebgott im Himmel u 's Schätzli im Arm,
der Liebgott macht selig u 's Schätzli git warm. :‖

4. ‖: Du meinsch, sigisch schön, 's isch aber nöd wohr,
du tuesch e chli schile und häsch roti Hoor. :‖

5. ‖: Drü Wuche vor Oschtere, da gaht de Schnee wäg,
da hürotet 's Schätzli u i ha de Dräck. :‖

6. ‖: Und hürotet 's Schätzli, was ha nachher i?
Dänn hani de Dräck u e Fotografii. :‖

’s Kantönlilied

2. Und es Züri-Meiteli mahni-mahni nit,
e grosse Schnurre hani-hani nit,
si wei mer gäng …
Zum trulla, trulla …

3. Es Luzerner-Meiteli mahni-mahni nit,
Chatze strecke chani-chani nit, …

4. Es Tessiner-Meiteli mahni-mahni nit,
Zoccholi träge chani-chani nit, …

5. Es Thurgauer-Meiteli mahni-mahni nit,
langi Finger hani-hani nit, …

6. Es Walliser-Meiteli mahni-mahni nit,
Fendent löte chani-chani nit, …

7. Und es Genfer-Meiteli mahni-mahni nit,
Farb abschläcke chani-chani nit, …

Mues allewil 's ploogeti Hansli si

2. 𝄆 Mi Frau isch siebezähni gsi
und i prezis so alt wie sie. 𝄇
Halli, hallo …

3. 𝄆 Ha gmeint, i hei e gschiidi Frau,
jetzt hani nu en Sack voll Strau. 𝄇
Halli, hallo …

4. 𝄆 Händ Hochzig gha zur rechten Ziit,
händ Hochzig gha wie ander Lüüt. 𝄇
Halli, hllo...

5. 𝄆 Wenn i emol es Büebli ha,
so mues es heisse Hanslimaa. 𝄇
Halli, hallo …

8. 𝄆 So lang's no liebi Buebe git,
so lang verlaufe d'Meitli nid. 𝄇
Halli, hallo …

6. 𝄆 Und wenn i a min Hansli dänk,
so gwagglet alli Stüel und Bänk. 𝄇
Halli, hallo …

7. 𝄆 So lang's no Chrut und Rüebli git,
so lang verlaufe d'Buebe nid. 𝄇
Halli, hallo …

Wie mache's de die Zimmerlüt?

2. Wie mache's de die Schuesterlüt?
Un esoo mache si's:
Si mache drümol rumpedibum
und heusche scho drei Batze drum.
Un esoo …

3. Wie mache's de die Schniiderlüt?
Un esoo mache si's:
Si bloose d'Chnöpf a Hosegurt
und näme nie kei Räschte furt.
Un esoo …

4. Wie mache's de die Schmittelüt?
Un esoo mache si's:
Si schlöö en alte Nagel ii
und sägen es sig e neue gsii.
Un esoo …

5. Wie mache's de sie Murrerlüt?
Un esoo mache si's:
Der Muurer, dä schloot Dräck is Loch
u preicht er's nid, so tätscht es doch.
Un esoo …

6. Wie mache's de die Wirtshuslüt?
Un esoo mache si's:
Si bschliesse si znacht i Chäller ii
und lüütere deert dr Märitwii.
Un esoo …

7. Wie mache's de die Schriiberlüt?
Un esoo mache si's:
Sie setzen es Tüpfli uf en"i"
und schriiben es Fränkli Chöschten ii.
Un esoo …

8. Wie mache's de d'Schuelmeisterlüt?
Un esoo mache si's:
Si sii gar grüsli schröckli glehrt
u mache nüschti d'Sach verchehrt.
Un esoo …

9. Wie mache's de die Herrelüt?
Un esoo mache si's:
Si löö all Gatter offe stoh
u flachse dür Gras u Gewächs dervoo.
Un esoo …

10. Wie mache's de die Pfarrerlüt?
Un esoo mache si's:
Si haschple dr Fade ums Chanzelbrätt,
we nume dr Haschpel ee chlepfe wett.
Un esoo …

Es Burebüebli

2. ‘s muess eine sii gar hübsch und fin,
darf keini Fehler ha, juhe!
‘s muess eine sii gar hübsch und fin,
darf keine Fehler ha. Fidiri, …

3. Und Herrebüebli git’s ja nid,
wo keini Fehler hei, juhe!
Und Herrebüebli git’s ja nid,
wo keini Fehler hei. Fidiri, …

4. Drum blibe-n-i ledig bis i Hochzig ha,
so hät die Lieb es Änd, juhe!
Drum blibe-n-i ledig bis i Hochzig ha,
so hät die Lieb es Änd. Fidiri, …

für Sportliche:

𝄆 Und ufe und abe und links und rechts,
und füre und hindre und links und rechts. 𝄇
Fidiri, …

's trommt em Babeli

O du liebs Ängeli

Moderato

1. O du liebs Än - ge - li, Ros - ma - rin - stän - ge - li, o du liebs Här - ze - li tue nid e - so! Zi - tre nid e - so, tue nid e - so, s' Hüs - li fallt hüt nid um, zit - tre nid e - so, tue nid e - so, s' Hüs - li fallt nid um.

C c c G g7 g7 H g7 g7 C c c C D E

F f f G F E D C C c c G g7 g7

C c c G F D C

2. O du liebs Ängeli, Rosmarinstängeli,
alliwil, alliwil, dänk i a dii!
Zitre nid eso, tue nid eso, …

Schätzeli, was truurisch du?

2. Schätzeli, was truurisch du, weinisch du,
chlagisch du, Schätzeli, was truurisch du,
weinisch du so sehr?
Ach, wenn i mein i heig es Lieb,
ach, so isch es nur e Dieb!
Darum, darum truure-n-i, weine-n-i,
chlage-n-i, darum, darum truure-n-i,
wein i so sehr!

3. Schätzeli, was truurisch du, weinisch du,
chlagisch du, Schätzeli, was truurisch du,
weinisch du so sehr?
Ach, wenn i mein, jetz chunnt er gschwind,
ach, so isch es nur de Wind!
Darum, darum truure-n-i, weine-n-i,
chlage-n-i, darum, darum truure-n-i,
wein i so sehr!

Des Morgens früh

2. Und wenn i krank geworden bin,
muss ich zum Doktor gehen,
der gibt mir eine Medizin,
von der ich keine nehme.
Ich mue-n-es Schnäpsli ha, …

3. Und wenn ich dann gestorben bin,
da wird man mich begraben,
in einem Fass voll Branntewein,
da werd' ich selig schlafen.
Ich mue-n-es Schnäpsli ha, …

4. Und komm ich vor die Himmelstür,
da wird mich Petrus fragen:
„Was willst du – Wein, Schnaps, oder
Bier?“ Ich werde „Schnäpsli“ sagen.
Ich mue-n-es Schnäpsli ha, …

z' Basel a mim Rhi

2. In der Münsterschuel uf mim herte Stuehl
mog i zwor jetz nüt meh ha,
d'Zöpfli stönd mir nümme a,
i der Basler, i der Basler Schuel,
i der Basler, i der Basler Schuel.

3. Aber uf der Pfalz, alle Lüte gfallts.
Oh, wie wechsle Berg und Tal,
Land und Wasser überall,
vor der Basler, vor der Basler Pfalz,
vor der Basler, vor der Basler Pfalz.

Vo Luzern uf Wäggis zue

Vo Luzern uf Wäggis zue

Dieser Text gilt für die Walzer- sowie für die Polkaversion:

2. Me fahrt es bitzeli übere See,
und cha schöni Fischli gseh.

3. Z' Wäg-gis gaht das Schtiige-n-aa
mit euser Jumpfer Hopsassa.

4. Z'erscht wird no es Möschtli gnoh,
'S Schnufe mag dänn besser goh.

5. Im Chaltbad do chehrt men ii,
trinkt es Gläsli Wii.

6. Dänkt, mer welli bliibe do,
mer mögi nüme uf d'Rigi cho.

7. Wo mer sind uf d'Rigi cho,
lauft is 's Sennemeitischi no.

8. 's treit is Alperöseli aa,
seit es heig de no kei Maa.

9. Dr Ludi het em 's Blüemli gnoh,
das wird no suber use cho!

10. Meiteli, gümpele nid eso,
's Gümpele wir dir scho vergoh!

11. 's Gümpele isch em scho vergange:
d'Windle hangen a der Schtange.

12. Jetzt darf er nüme uf d'Rigi goh,
susch treit em's Meitschi 's Büebli noh!

D' Seebuebe

Melodie u. Text:
Emil Grolimund

2. Chum sind mir hinder de Ohre troch,
so tüemer scho jasse und chegle,
und fische und fahre und schwimme im See,
drum seit men eus Züriseehegle.
Es Schätzeli hät scho en jede Chnopf,
sust isch es en trurige Zwetschgechopf.
O he! O ho! D'Seebuebe sind do, o ho!

3. Am Samstig z'Abig, do gömmer z'Liecht,
bald obsi, bald nidsi am See.
Doch erscht wenn d'Sterneli schiine tüend,
denn ghört is und gseht is kei Mönsch meh.
Doch mängisch do chunnt me nüd bis zum Chind,
sie haued eim vorher es Loch in Grind.
O he! O ho! D'Seebuebe sind do, o ho!

4. Und chunnt denn d'Suser-und d'Chilbiziit,
so simmer ganz usem Hüsli.
Mir haued's in Leue, in Hirsche, is Chrüz
go tanze mit eusene G'schpüsli.
's wird gsunge und gjohlet und musiziert
und 's Schätzli am Morge heischpediert.
O he! O ho! D'Seebuebe sind do, o ho!

5. Uns wenn's is entli ufs Totenbett leit,
so brucht is au niemer z'tröschte.
Mir fahred mit Freude zur Ewigkeit,
vom Chlinschte a bis zum Gröschte.
De Peterus rüeft: Jetzt chunnt de Bescht,
hüt z'Abig no gits denn es Freudefäscht.
O he! O ho! D'Seebuebe sind do, o ho!

Zürcher Sechseläuten-Marsch

Der alte Bernermarsch

2. Träm, träm, träridiri, üse Mutz isch gern derbi!
Stelled en a d'Spitze füre, Sakkermänt, er stieret's düre!

Es wott es Froueli z'Märit gah

Polkatempo

Aus dem Kanton Bern

2. „Los Hans, du muesch deheime sii, deheime sii,
wenn's Obig isch tue d'Hüehner i." tra-la-la-la-la …

3. „Im Ofe si drei grossi Chueche, grossi Chueche,
muesch mer au zu dene luege!" tra-la-la-la-la …

4. Am Obe, wo 's isch sächsi gsi, sächsi gsi,
si di Chueche gässe gsi, tra-la-la-la-la …

5. Wo das Froueli hei isch cho, hei isch cho:
„Ma, wo hesch mer d'Chueche, wo?" tra-la-la-la-la …

6. "U hei d'Hüehner alli gleit, alli gleit,
dr Güggel het sis Ei verleit!" tra-la-la-la-la …

7. Do nimmt si d'r Hans bim Bärtli, Bärtli,
und rüert en use is Gärtli, tra-la-la-la-la …

8. Dr Hans, de schpringt is Nachbers Huus, Nachbers Huus,
dr Chaschper luegt zum Faischter uus, tra-la-la-la-la …

9. „Du, i sett dir öppis klage, öppis klage:
mini Frou, die het mi gschlage!" tra-la-la-la-la …

10. „O wärisch du scho geschter cho, geschter cho,
mini macht es au eso!" tra-la-la-la-la …

11. „Chaschper, mir wei zäme ha, zäme ha,
wei däm Froueli dr Gring verschlah!" tra-la-la-la-la …

's isch mer alles eis Ding

Aus dem Kanton Bern

2. U mis Härzli isch zue, 's chamer's niemert uftue,
𝄆 als es einzigs schlaus Bürschteli (Meiteli)
het es Schlüsseli derzue. 𝄇

3. U du bruuchsch mir nit z'trutze, ja süsch trutze-n-i dir o!
𝄆 So-n-es Bürschteli (Meiteli) wie du eis bisch,
so-n-es Meiteli (Bürschteli) bin i o. 𝄇

4. Drum isch mer alles eis Ding, ob i lach oder sing, …

's Ramseyers wei go grase

Aus dem Kanton Bern

Polkatempo

1. 's Ram - sey - ers wei go gra - - se, 's Ram - sey - ers wei go gra - - se, 's Ram -

C c G c D g7 G g7 C c G c

sey - ers wei go gra - se wohl uf de Gümm - li - ge - bärg. Fi - di - ri fi - di - ra fi - di -

C c B♭ c7 A f F f G c G g7 C G C C c

ra - la - la - la - la, fi - di - ri fi - di - ra fi - di - ra - la - la - la - la, 's Ram -

H g7 G g7 D g7 G g7 C c G c

sey - ers wei go gra - se wohl uf de Gümm - li - ge Bärg.
C c B♭ c7 A f F f G c G g7 C G c C

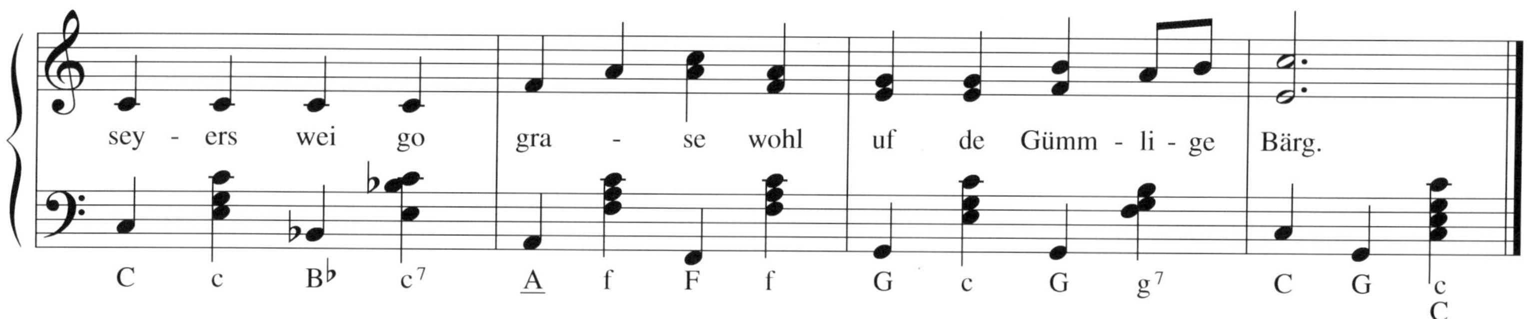

2. De Älscht, de geit a d'Stange, …
die angere hingedri.

3. Er laht die Stange fahre, …
und 's Gras gheit hingedri.

4. Do chunnt de alt Ramseyer, …
mit em Stäcke i der Hand.

5. „Cheut ihr nid besser achtig gäh, …
ehr Donners Schnoderihüng?"

6. „Mou mou, mer cheu scho achtig gäh, …
mer si kener Schnoderihüng.

's Oberland (Wänn i nume wüsst)

Aus dem Kanton Bern

Polkatempo

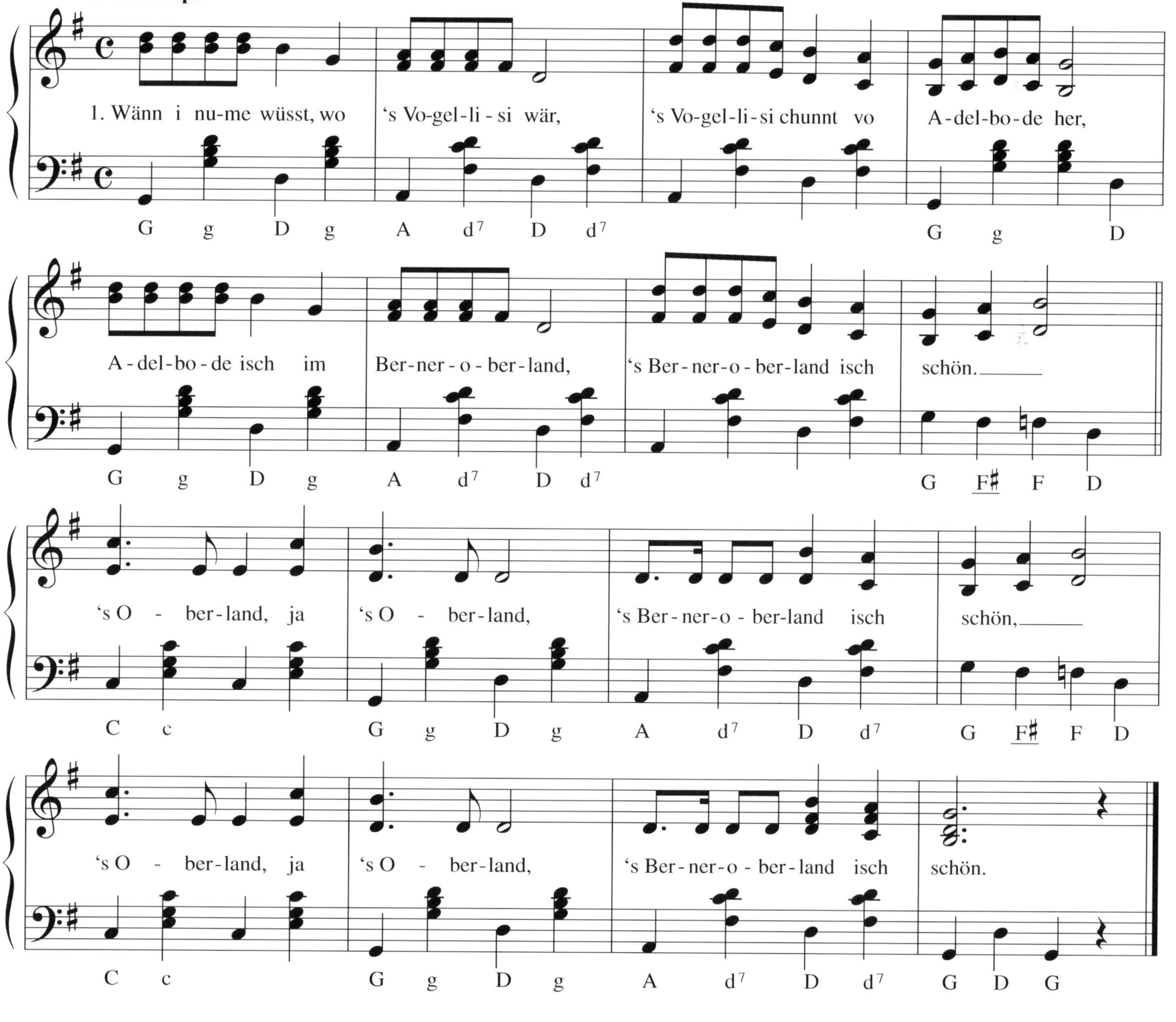

1. Wänn i nu-me wüsst, wo 's Vo-gel-li-si wär, 's Vo-gel-li-si chunnt vo A-del-bo-de her,
G g D g A d7 D d7 G g D
A-del-bo-de isch im Ber-ner-o-ber-land, 's Ber-ner-o-ber-land isch schön.
G g D g A d7 D d7 G F♯ F D
's O - ber-land, ja 's O - ber-land, 's Ber-ner-o-ber-land isch schön,
C c G g D g A d7 D d7 G F♯ F D
's O - ber-land, ja 's O - ber-land, 's Ber-ner-o-ber-land isch schön.
C c G g D g A d7 D d7 G D G

Mäitäli, wenn dü witt ga tanzä

2. D'Mäitäli träppelet scho bim Chiächlä,
d'Müätter singt und treelt dr Täig.
Und äs isch, als obs dr Vatter
äu scho i dä Bäinä, Bäinä,
und äs isch, als obs dr Vatter
äu scho i dä Bäinä häig.
Zoogä, zoogä, zoogän äm Boogä,…

3. Und im Himmel oobä looset
d'Angäli und d'Cäcilia,
und dr häilig Jakob siifzget:
„Chent i doch äu züä nä abbä",
und dr häilig Jakob siifzget:
„Chent i doch äu züä nä gah!"
Zoogä, zoogä, zoogän äm Boogä, ….

Zoogä-n-am Boogä

Aus dem Kanton Uri
Text u. Melodie : Bärti Jütz

2. Sepp, nimm ds Vrenäli rächt a di aanä
häb di am Rock wiä amänä Fahnä!
Nimms rächt züächä und häbs umä Büch.
Hit wird tanzät, hit gahts rüch!
𝄆 Und jüppididüi und Zottäli dra,
nur immer scheen dä Wända naa! 𝄇

3. Beedälä, chaibä, tanzä-n-und schwitzä,
d'Tscheepä-n-abziäh und d'Ärmel umälitzä!
Hittä tanzet diä Jung und dr Alt
und Süü und dr Bock und dr Stiär und ds Chalb!
𝄆 Und jüppididüi und Zottäli dra,
nur immer scheen dä Wända naa! 𝄇

4. Und wenn's dr Pfaarer nit will liidä,
so gänt ihm an alti Kaffemili z'triibä!
Und wer nit tanzä und beedälä cha,
dem trüürät, wenn's ä butzt, käi Tiifel derna!
𝄆 Und jüppididüi und Zottäli dra,
nur immer scheen dä Wända naa! 𝄇

Wenn äini eppä zwänzgi isch

Aus dem Kanton Uri
Text u. Melodie : Bärti Jütz

2. Diä äintä went käi Püüräbüäb
diä andärä käi Hirt.
Und alli wettet nobels Blüät
oder eppä nu ä He-hi-ho,
oder eppä nu ä Wirt!

3. Und bald, da sinds de zwänzgi gsi
und driisg und viärzgi äu.
Diä gschiidä Büabä süffet Wii
und pfiifet uf nä He-hi-ho,
und pfiifet uf nä Fräu!

Min Vater ischt en Appezeller

Aus dem Kanton Appenzell

2. Mi Muetter ischt e Schwizeri, tüoi …
hed d'Stobe volle Gitzeli, tüoi …
Jodel

3. Min Brüeder hett en brääte Rogge, tüoi …
es gääb e wackeri Bschöttitrocke, tüoi …
Jodel

4. Mi Mueter isch e Chüechlifrau, tüoi …
ond wenn si hed so ged's mer au, tüoi …
Jodel

5. Min Vatter ischt en Appezeller, tüoi …
het weder Wii no Moscht im Cheller, tüoi …
Jodel

6. Min Vatter ischt en wackere Maa, tüoi …
Das gsieht me sine Buebe-n-aa, tüoi …
Jodel

Jetzt wemmer e bitzeli loschtig si

2. Ond hüt nüt ha ond morn nüt ha,
da ged e churzi Woche,
sind siebe Tag im Wirtshuus gsee,
die Manne cha mer bruuche. *Jodel*

3. Ond roti Chrieseli ess i gern
ond schwarzi no vill lieber,
ond schöni Büebli gsehn i gern,
ond d'Meiteli no vill lieber. *Jodel*

4. Loschtig wemmer ledig si
ond loschtig vor de Lüte,
ond wenn's de Pfarrer net will ha,
so söll er's nor verbüte. *Jodel*

5. Ond Meiteli, wenn d'hürote wett,
hürot en rechte-n-Alte,
wenn denn e schöne Junge chond,
so losch der Alt verchalte. *Jodel*

6. Ond Meiteli, wenn d'hürote wett,
hürot en nette Junge,
wenn er no ned trochen isch,
so stellsch e halt a d'Sonne. *Jodel*

7. Ond Meiteli, wenn d'hürote wett,
hürot en kän Sanggaller,
denn wenn du meinsch, du heigsch e Ma,
so hesch doch nor e Prahler. *Jodel*

8. Ond Meiteli, wenn d'hürote wett,
hürote en kän Schaffhuser,
denn wenn du meinscht, du heigsch en Ma,
so esch es nor e Schmuser. *Jodel*

9. Ond Meiteli, wenn d'hürot wett,
hürote en Appezöller,
denn wenn du meinsch, du heigsch en Totsch,
so isch es vill de Heller. *Jodel*

10. Ond Meiteli, wenn d'hürote wett,
so nimm en Andermatter,
da wäscht der d'Windle, putzt der's Huus,
das ged e rächte Vatter. *Jodel*

11. Meiteli, ohni rote Wi,
do tuet kei Liebi brönne,
ond wenn du mich e so ned wett,
so gang i See go schwömme. *Jodel*

12. Ha hunderttusig Opfelschnitz
deheime amene Huufe,
ond wenn du mich hürote wett,
so darsch mer nömme trinke. *Jodel*

Gang rüef de Bruune

Aus dem Kanton Appenzell

2. Gang rüef de Grosse, gang rüef de Chliine,
si sölid allsam, si sölid allsam,
gang rüef de Grosse, gang rüef de Chliine,
si sölid allsam in Stall ine cho.
Sennele-hoi-a-hoa, …

3. Gang rüef de Gscheggete, gang rüef de Gfleckete,
si sölid allsam, si sölid allsam,
gang rüef de Gscheggete, gang rüef de Gfleckete,
si sölid allsam in Stall ine cho.
Sennele-hoi-a-hoa, …

Täär i no e bitzeli

Aus dem Kanton Appenzell

Ruhiges Polkatempo

1.

1. Täär i nöd e bi - tze - li, täär i nöd e chli, täär i nöd e bi - tze - li losch - tig sii?

G g D g A d7 D C H A G g

2.

losch - tig sii?

G D G

Jodel

G g D g A d7 D d7 G g D g

A d7 D d7 G D H G

2. Jo, du tääscht e bitzeli, jo, du tääscht e chlii,
jo, du tääscht e bitzeli loschtig sii.
Jodel

3. Wemmer nöd e bitzeli, wemmer nöd e chlii,
wemmer nöd e bitzeli loschtig sii?
Jodel

4. Jo, mer wend e bitzeli, jo, mer wen e chlii,
jo, mer wend e bitzeli loschtig sii.
Jodel

Dei obe uf em Bergli

Aus dem Kanton Appenzell

2. Ond wenn die Schwizer melchid,
luegid d'Schwobe heidelidomm,
ond wenn die Schwizer melchid,
luegid d'Schwobe zue. Dirindomeh,…

3. De Chnecht, er sött gi melche,
ond ischt em au nüd heidelidomm,
de Chnecht, er sött gi melche,
ond ischt em au nüd dromm. Dirindomdeh, …

4. Jä, Muetter, i sött gi tanze
ond ha halt käni Heidelidomm,
jä, Muetter, i sött gi tanze,
ond ha halt käni Schueh. Dirindomdeh, …

5. Dei legg du Vatters Schlerpe-n-aa
ond tanz du loschtig heidelidomm,
dei legg du Vatters Schlerpe-n-aa
ond tanz du loschtig zue. Dirindomdeh, …

6. De Vatter git mer d'Schlerpe ned
ond säit, i sei e Heidlidomm,
de Vatter git mer d'Schlerpe ned
ond säit, i sei e Chueh. Dirindomdeh, …

7. Ond der mer jetzt am löbschte-n-ischt,
de isch jetzt halt ned Heidlidomm,
ond der mer jetzt am löbschte-n-ischt,
der isch jetzt halt ned do. Dirindomdeh, …

Ond wenn's emol scho oober isch

Aus dem Kanton Appenzell

2. Die Bömmli sönd vom Laub schö grüe
ond d'Wese vo dem Gras,
|: ond wenn i zu der Senneri chomm,
so isch mer e lengeri bas. :| *Jodel*

3. „Was isch, das du so trurig bischt
ond au nüd lache magscht?
|: I gsieh der's a den Augen a,
dass du geweinet hascht.“ :| *Jodel*

4. „Han i geweinet oder nüd,
was fragscht denn du dernoo?
|: Wenn dir en anderi lieber ischt,
so lauf du sebere noo.!“ :| *Jodel*

5. „Bin i nüd e loschtige Schwizerbueb,
bin i nüd en loschtige Bueb?
|: I leggen e roti Weschten a
ond laufe der Chilbi zue.“ :| *Jodel*

6. „I säg der nüd ab ond säg der nüd zue,
mer wend's grad blibe loh,
|: en andri Frau Mueter hed au e schös Chind,
das mi brav liebe tuet. :|“ *Jodel*

Min Schatz ischt ke Zocker

2. En isige Halbbatze und
e schwarzbruuni Chue,
das git mer min Vatter,
wenn i hürote tue. La la …

3. Wenns gfrüürt, so gets Ys,
und wenns schneit, so schneits wiiss,
und drom lieb i mis Schätzli,
wells d'Lüt eso biisst. La la …

4. Jetz wött i, 's wär Schamschtig
und Sonntig grad au,
denn gsääch i mis Chruseli
und 's Chruseli mi au. La la …

5. 's isch allewil gange,
's isch allewil so:
Die Buebe, die springet
de Määtlene no. La la …

6. Zo deer bini gange
bi Regen und Wind,
zo deer goni nomme,
du Herdöpfelgrind. La la …

7. Spinnmugge i de Suppe,
vill Rääbe, kän Speck,
mis Schätzli mag i noomme,
de hochmüätig Dreck. La la …

8. Und uus ischt das Liedli
und uus ischt de Tanz.
Jetz, Määtlli, hol Wasser,
i mag e ke Pranz. La la …

Baselbieterlied

Aus dem Kanton Basel

2. Es wechsle Berg und Täli, so liebli mitenand,
und über alles use legt mängi Felsewand.
Do obe weide Herde, dört unte wachst der Wi.
𝄆 Nei, schöner als im Baselbiet,
chas währli niene si. 𝄇

3. Die Baselbieter Lütli si gar e fliess'ge Schlag,
sie schaffen und si werche, so vill e jede mag:
Die einte manche Bändel, die andre schaffe 's Feld.
𝄆 Doch alli si, wenns immer goht,
gern lustig uf der Welt. 𝄇

4. Me seit vom Baselbieter und redt ihm öppe no,
er säg nu: „mir wei luege", er chönnt nit säge: „jo".
𝄆 Doch tuesch ihn öppe froge: „wit du für 's Recht istoh?"
Do heissts nit, dass me luege well,
do sägen alli: „jo!" 𝄇

’s Vreneli ab em Guggisberg

18. Jhd.

2. 𝄆 U mahn er mir nit werde, Simeliberg! 𝄇
Und ’s Vreneli ab em Guggisberg,
und d’Simes Hans Joggeli änet dem Berg!
U mahn er mir nit werde, vor Chummer stirbe-n-i.

3. 𝄆 Dört unte-n-i der Tiefi, Simeliberg! 𝄇
Und ’s Vreneli ab em Guggisberg,
und d’Simes Hans Joggeli änet dem Berg!
Dört unte-n-i der Tiefi, da steit es Mühlirad.

4. 𝄆 Das malet nüt as Liebi, Simeliberg! 𝄇
Und ’s Vreneli ab em Guggisberg,
und d’Simes Hans Joggeli änet dem Berg!
Das mahlet nüt als Liebi, die Nacht und auch den Tag.

ʻs Brienzerbürli

Joh. Michel
(gest. um 1892)

2. Im Früelig tribe si d'Geiss uf d'Alp
u säge-n-es sig es Chüeli,
u we me-n-es de no glaube tät,
so wär's de nu-n-es Stierli.
Ho simpeli simpeli sing …

3. Im Summer nehme sie d'Sägesse
i d'Hand u göh i d'Alp ga heue,
u wes i es Madli gmäje hei,
mule si scho wie d'Leue.
Ho simpeli simpeli sing …

4. Im Herbst da zieh si das Nutzli her
uf ihre Hornigschlitte,
und eb si de Chäs abglade hei,
so hei's ne scho agschnitte.
Ho simpeli simpeli sing …

z' Luterbach

2. z' Luterbach han i min Schatz verlore
und ohni Schatz gahn i nöd hei.
Jetzt gahn i halt wider dem Luterbach zue
und gah mit en andere hei. Tralalala, …

3. Und gang mer nöd über mis Mätteli,
und gang mer nöd über mis Gras,
und gang mer nöd gege mis Schätzeli
oder i prügle die ab. Tralala, …

4. Und wenn i am Sunntig i d'Chile tue gah,
so leg i mis schöne Gwand a,
und wenn i mis Schätzli ghürote ha,
so lueg i kein Pfarrer meh a. Tralala, …

5. Und Meitli, was het der de Puurebueb ta,
und Meitli was het der de ta.
De Spitzbueb isch in Garte ie cho,
und bindt mi an Zwetschgebaum a. Tralala, …

Nun ade, du mein lieb Heimatland

Marschtempo

1. Nun a - de, du mein lieb Hei - mat-land, lieb Hei - mat-land, a - de! Es

geht jetzt fort zum frem - den Strand, lieb Hei - mat-land, a - de! Und so sing' ich denn mit

fro - hem Mut, wie man sin - get, wenn man wan - dern tut, lieb Hei - mat-land, a - de!

2. Wie du lachst mit deines Himmels Blau,
lieb Heimatland ade!
Wie du grüssest mich mit Feld Au,
lieb Heimatland, ade!
Gott weiss, zu dir geht stets mein Sinn,
doch jetzt zur Ferne zieht's mich hin.
Lieb Heimatland, ade!

3. Begleitest mich, du lieber Fluss,
lieb Heimatland ade!
Bist traurig, dass ich wandern muss,
lieb Heimatland ade!
Vom moos'gen Stein am wald'gen Tal,
da grüss ich dich zum letzten mal.
Lieb Heimatland, ade!

Schatz, mein Schatz

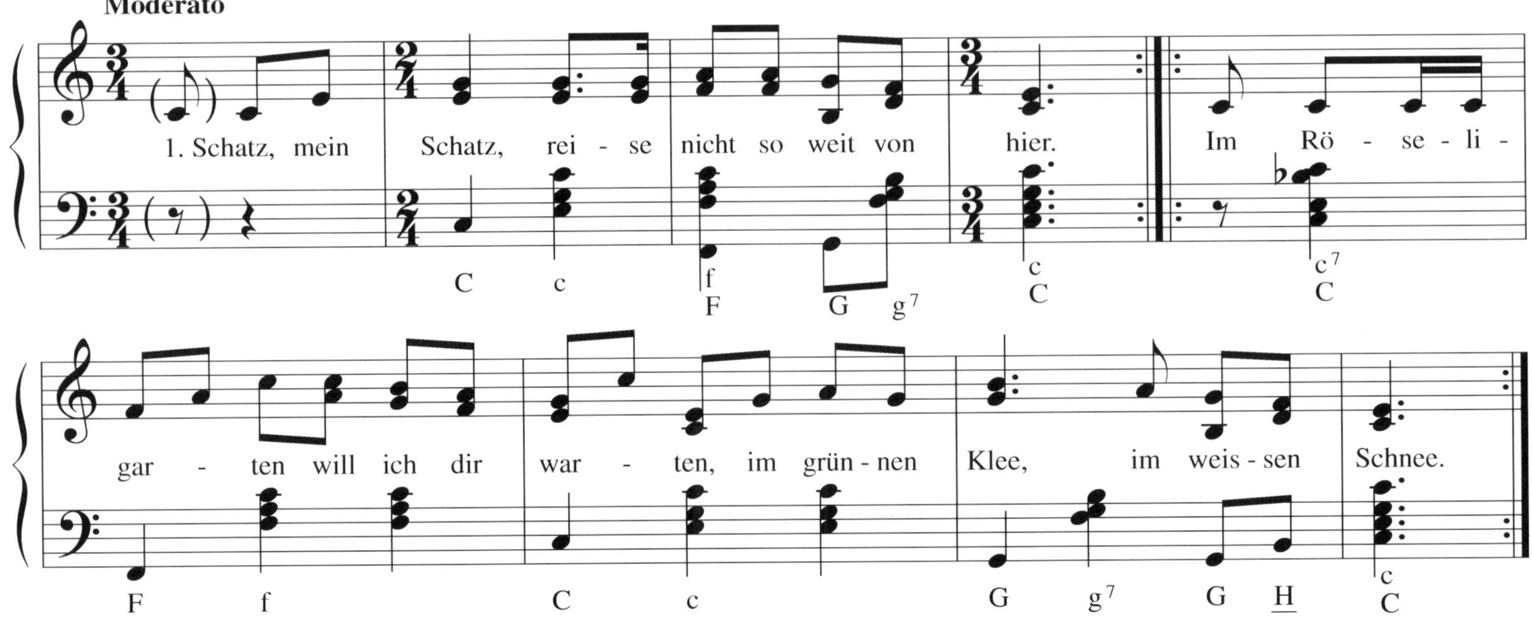

2. |: Auf mein zu warten, das brauchest du ja nicht. :|
|: Geh du zu 'ner Reichen, zu deinesgleichen,
's ist mir eben recht, 's ist mir eben recht. :|

3. |: Ich heirat nicht nach Geld und nicht nach Gut. :|
|: Eine treue Seele, die ich erwähle,
wer's glauben tut, wer's glauben tut. :|

4. |: Wer's glauben tut und der ist weit von hier! :|
|: Er ist am Gotthard, er ist in Andermatt,
er ist Soldat und bleibt Soldat. :|

5. |: Soldatenleben und das heisst lustig sein. :|
|: Wenn ander Leut' schlafen, so müssen wir wachen,
müssen Schildwach stehn, Patrouillen gehen. :|

6. |: Patrouillen gehen, das brauchtest du ja nicht. :|
|: Wenn dich die Leut' fragen, so sollst du sagen:
Schatz, ich bin dein und du bist mein. :|

7. |: Wer hat denn dieses so schöne Lied erdacht? :|
|: Es haben's gesungen drei Schweizerjungen,
wohl auf der Wacht, ame ne Samstig z'Nacht. :|

Im Frühtau zu Berge

2. Ihr alten und hochweisen Leut, fallera,
ihr denkt wohl, wir sind nicht gescheit, fallera.
|: Wer wollte aber singen,
wenn wir schon Grillen fingen
in dieser herrlichen Frühlingszeit. :|

3. Werft ab alle Sorge und Qual, fallera,
und wandert mit uns aus dem Tal, fallera!
|: Wir sind sind hinausgegangen
den Sonnenschein zu fangen:
Kommt mit und versucht es auch selbst einmal. :|

Ich bin ein Schweizerknabe

Jos. Greith (1798 – 1869)

2. Ich bin ein Schweizerknabe und liebe Lust und Scherz;
ins heitre Land der Alpen, da passt kein finstres Herz.
O hör der Herden Glockenklang
in Tal und Höhen Jubelsang!
Ich bin ein Schweizerknabe und hab' die Heimat lieb.
Hali hali …

3. Ich bin ein Schweizerknabe, bin allen Menschen gut;
es liegt die Herzensgüte ja schon im Schweizerblut.
Wie wäre sonst in Berg und Tal
der Freude lauter Widerhall?
Ich bin ein Schweizerknabe und hab' die Heimat lieb.
Hali hali…

4. Ich bin ein Schweizerknabe, ich leide keine Schmach;
am Hochgefühl der Schweizer schon manche Lanze brach.
Wer feige weicht vom heil'gen Recht,
der ist schon von Natur ein Knecht.
Ich bin ein Schweizerknabe und hab' die Heimat lieb.
Hali hali …

Rütli-Lied

Jos. Greith (1798 – 1869)
J. G. Krauer (1792 – 1845)

2. Drum Rütli, sei freundlich gegrüsset, dein Name wird nimmer vergeh'n,
so lange der Rhein uns noch fliesset, 𝄆 so lange die Alpen besteh'n. 𝄇

Wo den Himmel Berge kränzen

2. Wo vom Fels die Bäche springen, rauschend stürzen in den Schlund,
𝄆 wo die Herdenglocken klingen
zauberhaft im dunklen Grund. 𝄇
𝄆 Wo die Alpenrosen blühn,
dahin, dahin möcht ich ziehn. 𝄇

3. Wo die Berge widerhallen von der Sennen frohem Sang,
𝄆 wo die Echo weithin schallen
bei des Alphorns Zauberklang. 𝄇
𝄆 Wo die Alpenrosen blühn,
dahin, dahin möcht ich ziehn. 𝄇

Im schönsten Wiesengrunde

2. Muss aus dem Tal jetzt scheiden,
wo alles Lust und Klang;
das ist mein herbstes Leiden,
mein letzter Gang.
Dich, mein stilles Tal,
grüss ich tausendmal!
Das ist mein herbstes Leiden,
mein letzter Gang.

3. Sterb' ich, in Tales Grunde
will ich begraben sein;
singt mir zur letzten Stunde
beim Abendschein:
Dir, o stilles Tal,
Gruss zum letzten Mal!
Singt mir zur letzten Stunde
beim Abendschein.

Wo Berge sich erheben

2. Da droben thront der Friede,
ob die Lawine kracht;
der Fels hat als Aegide
die Hütte überdacht.
Schallt Kriegsgeschrei vom Tale,
der Älper drob erwacht;
er steigt vom hohen Walle
𝄆 und stürzt sich in die Schlacht. 𝄇 La la la …

3. O freies Alpenleben,
o schöne Gotteswelt,
ein Aar in Lüften schwebet
so nah dem Sternenzelt!
Dem Älper nehmt die Berge,
wohin mag er noch zieh'n?
Paläste sind ihm Särge,
𝄆 drin muss er fern verblüh'n. 𝄇 La la la …

Beresinalied

2. Aber unerwartet schwindet
vor uns Nacht und Dunkelheit,
und der schwer Gedrückte findet
Linderung in seinem Leid.

3. Mutig, mutig! liebe Brüder,
gebt das bange Sorgen auf;
morgen steigt die Sonn' schon wieder
freundlich an dem Himmel auf.

4. Darum lasst uns weiter gehen;
weichet nicht verzagt zurück!
Hinter jenen fernen Höhen
wartet unser noch ein Glück.

Freut euch des Lebens

H. G. Nägeli

2. Freut euch des Lebens,
weil noch das Lämpchen glüht,
pflücket die Rose, eh sie verblüht.
Wenn scheu die Schöpfung sich verhüllt,
und lauter Donner ob uns brüllt,
so lacht am Abend nach dem Sturm
die Sonne, ach, so schön!

3. Freut euch das Lebens,
weil noch das Lämpchen glüht,
pflücket die Rose, eh sie verblüht.
Wer Neid und Missgunst sorgsam flieht,
Genügsamkeit im Gärtchen zieht,
dem schiesst sie bald zum Bäumchen auf,
das gold'ne Früchte trägt.

4. Freut euch des Lebens,…
Wer Redlichkeit und Treue übt
und gern dem ärmern Bruder gibt,
den lohnt dafür Zufriedenheit,
mit höherm Glück als Geld.

Hab oft im Kreise der Lieben

2. Hab einsam auch mich gehärmet
in bangem, düsteren Mut.
𝄆 Und habe wieder gesungen,
und habe wieder gesungen,
und alles, alles war wieder gut. 𝄇

3. Und manches, was ich erfahren,
verkocht in stiller Wut.
𝄆 Und kam ich wieder zu singen,
und kam ich wieder zu singen
war alles, alles auch wieder gut. 𝄇

4. Sollst uns nicht lange klagen,
was alles dir wehe tut:
𝄆 Nur frisch, nur frisch gesungen,
nur frisch, nur frisch gesungen,
und alles, alles wird wieder gut! 𝄇

Lustig ist das Zigeunerleben

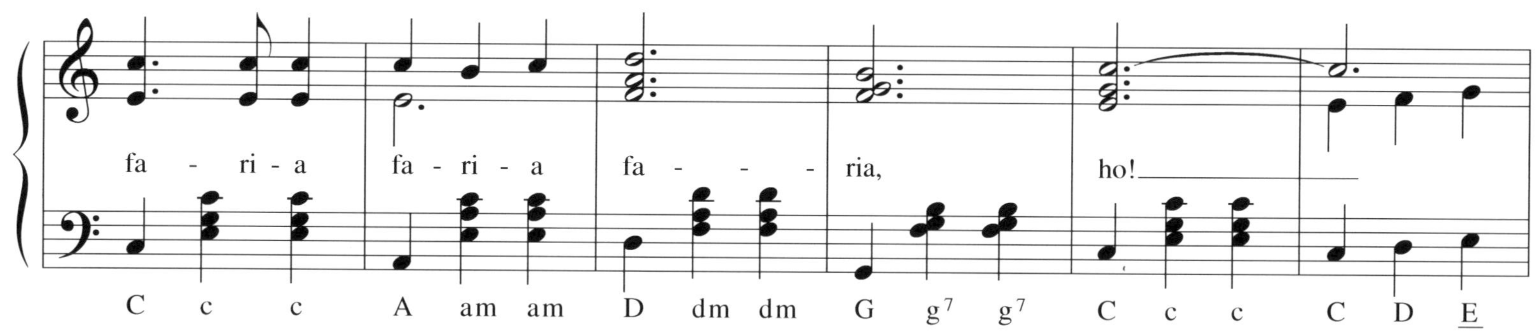

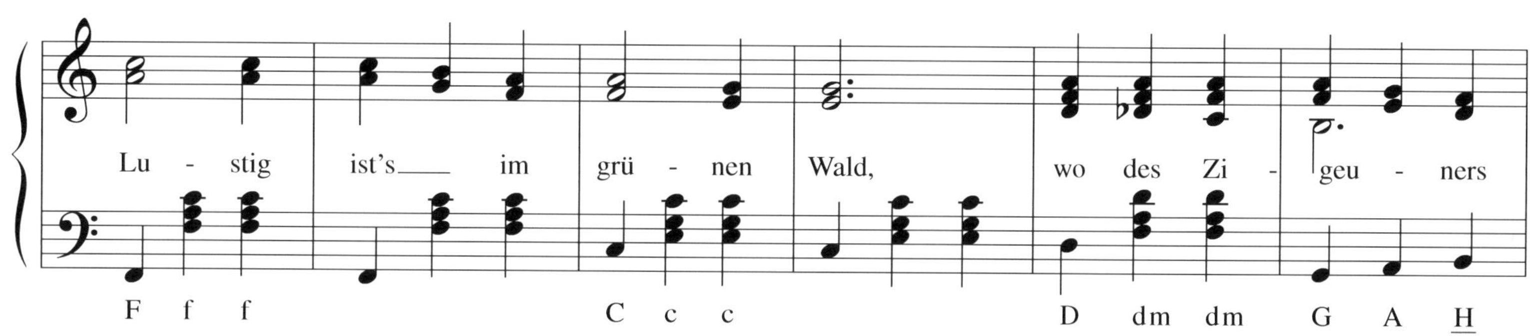

2. Sollt' uns einmal der Hunger plagen, faria, …
gehen wir uns ein Hirschlein jagen, faria, …
𝄆 Hirschlein, nimm dich wohl in acht,
wenn des Zigeuners Büchse kracht, faria … 𝄇

3. Sollt' uns einmal der Durst sehr quälen, faria, …
gehen wir hin zu den Wasserquellen, faria, …
𝄆 Trinken das Wasser vom moos'gen Stein,
meinen, es müsse Champagner sein, faria, … 𝄇

4. Wenn wir auch kein Federbett haben, faria, …
tun wir uns ein Loch ausgraben, faria, …
𝄆 Legen Moos und Reisig drein,
das soll unser Federbett sein, faria, …

5. Und geht dann die Sonne nieder, faria, …
brennt das Lagerfeuer wieder, faria, …
𝄆 Reich mir schnell die Fiedel zu,
schwarzbraun' Mädel, tanz dazu, faria, … 𝄇

's Gugger-Zytli

Musik: P. Weber
Text: S. Meyer

2. Am Morge ghör-i d'Chue „muhmuh", der Bäri bällt „wau-wau"
und de ganz fin „guggu guggu" chunnt 's Guggerzytli au.
Es het mer kündet Freud und Leid vill Stunde schön und bang,
drum han-i Sorg, dass nid verheit, i läbti nümme lang.

3. Nid Gold und Silber muess i ha, um chönne glücklich z'sy,
so lang i 's Guggerzytli ha und na mis Gläsli Wy.
Und chunnt mis letschti Stündli dra, de han-i nur die Bitt:
Dänn gänd mer au i d'Ewigkeit mis Guggerzytli mit.

Gemsjäger

Text und Musik:
Ruedi Rymann

2. Wenn am Morgä tüend Näbel wiichä,
chunnt der Sepp de gli dur d'Stei uis z'striichä.
En Schuss ertönt am steile Nesslästock,
grüess di Gott, dui alte Gemsälibock.
Jodel

3. Sepp, dui darfsch nid nur Gemschit triibä,
Sepp dui darfsch nid immer ledig bliibä,
de so ne junge, flotte Jägersmaa
mioss es härzigs, luschtigs Froiwäli ha.
Jodel

Der Köbu u der Chrigu u der Sepp

Text und Musik:
Werner Huber

2. Der Köbu u der Chrigu u der Sepp
hei all drei durschtigi Kröpf,
do hei si einisch uf e Märit müesse goh
und mit eme schöne Chueli ume cho,
si sy hei cho halbe toll,
ohni Chueli, aber sternehagelvoll.

3. Der Köbu u der Chrigu u der Sepp,
di schlofe hinecht nid im Bett.
Der Aetti hett's i de Stall use loh,
si sölle bi de angere Chalbere go stoh,
da schnarche si bald um d'Wett,
der Köbu u der Chrigu u der Sepp.

4. Dem Aetti u dem Müetti u dem Chnecht,
denne isch die Sach scho nüme recht,
si sueche 's Ländeli us und ab
drei Maiteli mit vill Guet und Hab,
drei Fraueli ob schlank oder fett,
für de Köbu, für de Chrigu, für de Sepp.

Le vieux chalet

Joseph Bovet (1879 – 1951)

2. 𝄆 Là-haut, sur la montagne, croula le vieux chalet, 𝄇
la neige et les rochers s'étaient unis pur l'arracher.
Là-haut, sur la montagne, croula le vieux chalet.

3. 𝄆 Là-haut, sur la montagne, quand Jean vint au chalet, 𝄇
pleurat de tout son cœur sur les débris de son bonheur.
Là-haut, sur la montagne, quand Jean vint au chalet.

4. 𝄆 Là-haut, sur la montagne, l'est un nouveau chalet, 𝄇
car Jean, d'un cœur vaillant l'a reconstruit plus beau qu'avant:
Là-haut, sur la montagne, l'est un nouveau chalet.

Notre beau Valais

O. Wolf

2. Pays si souvent arrosé
par le sang des preux, des héros,
qui pour leurs neveux ont posé
le fondement des jours nouveaux:
Valée où le Rhône a son cours, …

3. Pays qui voit sur les grands monts
bondir le timide chamois,
lorsqu'en bas brillent les moissons,
le doux raisin, les fruits de choix:
Valée où le Rhône a son cours, …

4. Pays qu'habite un peuple heureux,
ami de la simplicité,
intrépide et laborieux,
gardant sa foi, sa liberté:
Valée où le Rhône a son cours, …

Roulez, tambours

F. Amiel

2. Sonnez, clairons, le grand fleuve en son ombre,
de nos bivouacs a réfléchi les feux:
Dans nos foyers, sans doute, en la nuit sombre,
au ciel, pour nous, ont monté, bien des vœux.
Oui, nous veillons sur toi, Patrie!
Remparts vivants nous te couvrons:
𝄆 Dieu voit qui veille, entend qui prie.
Sonnez clairons, sonnez clairons! 𝄇

3. Flottez, drapeaux, étendards héroïques,
où nos aïeux ont inscrit maint beau nom.
Astres de gloire au ciel des républiques,
Sempach, Naefels et Saint-Jaques et Grandson!
Sous vos couleurs, saintes bannières,
ont combattu tous nos héros;
𝄆 les fils seront dignes des pères.
Flottez drapeaux, flottez drapeaux! 𝄇

A Moléson

2. 𝄆 De là-haut, cent lieu's à la ronde
on y voit le vaste monde, 𝄇
et l'on entend par les collines
les clochettes argentin's.
A Moléson, à Moléson!
La-ri-di-di-di-di-la, …

3. 𝄆 Il y croît les fleurs des vanils,
des gros chardons et des myrtilles, 𝄇
du bois gentil et des branchettes,
tout là-haut sur ces rochett's.
A Moléson, à Moléson!
La-ri-di-di-di-di-la, …

Le ranze des vaches

Aus dem Kanton Fribourg

Lento

Yô ye trein - tzo. Ah! Liau - ba, liau - ba, por a -

F D G c C A F C B♭ A F A

ryâ! Liau - ba, liau - ba, por a - ryâ!

C B♭ A G F F♯ G B♭ A B♭ C C F

Allegro

Lè sè - nail - lî - rè vant lè pre - mî - rè, lè to - tè nâi - rè vant lè der -

F f F♯ G gm gm C c7 c7 F f f F♯ A G gm gm C c7 c7

Lento

râi - - - - - rè. Ah! Liau - ba, liau - ba, por a -

F D G c C A F C B♭ A F A

ryâ! Liau - ba, liau - ba, por a - ryâ!

C B♭ A G F F♯ G B♭ A B♭ C C F

2. Quand sant vegniu âi bassè z'îvouè,
d'ne sâi lo pî qu'l'ant pu passa.
Ah! Ah! Ah! Ah!
Liauba, liauba …

Gentille batelière

2. Belle enfant, qu'au rivage on entend chaque soir,
malgré les vents, l'orage, dire des chants d'espoir.
Tu rêveras dans la vallée tes chalets et tes bois,
tu ne seras plus isolée, Blanche, viens avec moi!
Non, non, non, j'aime mieux mon bateau,
ma rame flexible, sur l'onde limpide,
ma chaumière au bord de l'eau.
Tralalala …

3. Rien ne trouble ton âme, rien ne trouble ton cœur.
Tu doutes de ma flamme, tu ris de ma douleur.
Que te faut-il, enfant cruelle, pour faire cesser ton dédain,
te faire oublier ma nacelle? Veux-tu mon cœur, ma main?
Ah, ah, ah! Cette fois, mon seigneur,
tralalala lala, tralalala lala,
je puis vous donner mon cœur.
Tralalala …

Te voici, vigneron!

Refrain

2. On voit ensuite son fossoir,
c'est pas un fossoir de gamine.
Il a plutôt l'air d'un buttoir
au flanc de la colline.
Où es-tu, vigneron?
Où es-tu, vigneron?

Refrain

3. On voit paraître ses deux bras,
c'est pas les deux bras d'une fille.
Pas non plus ceux d'un avocat
qui boit la camomille.
Où es-tu, vigneron?
Où es-tu, vigneron?

Refrain

4. Enfin, voici ses gros souliers,
c'est pas des souliers pour la danse.
Ils sont plutôt faits pour monter
jusqu'où le ciel commence:
T'y voici, vigneron!
T'y voici, vigneron!

Aprite le porte

2. Deh, vieni alla finestra, oi bruna, oi bruna,
se vieni alla finestra, oi bruna, farem l'amor.
E come la sona ben, …

3. Siam giovani e siam soldati e per la Patria, e per la Patria,
siam giovani e siam soldati e per la Patria sappiam morir.
E come la sona ben, …

Bionda, bella bionda

Aus dem Kanton Tessin

Il cucù

Aus dem Kanton Tessin

2. Lassù per le montagne la neve non c'è più,
comincia‿a far il nido il povero cucù.
Cucù, cucù, la neve non c'è più,
cominicia‿a far il nido il povero cucù.

3. La bella alla finestra la guarda‿in su e‿in giù,
l'aspetta‿il fidanzato al canto del cucù.
Cucù, cucù, la guarda‿in su e‿in giù,
l'aspetta‿il findanzato al canto del cucú.

4. Te l'ho pur sempre detto che maggio ha la virtú
di far sentir l'amore al canto del cucù.
Cucù, cucù, che maggio ha la virtù
di far sentir l'amore al canto del cucù.

Vieni sulla barchetta

Aus dem Kanton Tessin

2. Sei la mia speranza, non farmi più penar.
Vieni sulla barchetta, vieni con me a remar.
Sei la mia speranza, non farmi più penar.
Vieni sulla barchetta, vieni con me a remar.

3. Sei la mia bellina, vien, morettina crudel!
Sorridono le stelle ma piange‿il tuo fedel.
Sei la mia bellina, vien, morettina crudel!
Sorridono le stelle, ma piange‿il tuo fedel.

Aveva gli occhi neri

2. La va, la va‿in filanda‿a lavorare,
per guadagnarsi‿il pane con sudore.
L'ho visto ieri sera‿a far l'amore,
l'ho visto ieri sera‿a far l'amore.

3. Aveva i capelli d'oro fino,
il labbro d'un bel rosso porporino,
l'ho visto ieri sera in giardino,
l'ho visto ieri sera‿a far l'amore.

Quel mazzolin di fiori

Aus dem Kanton Tessin

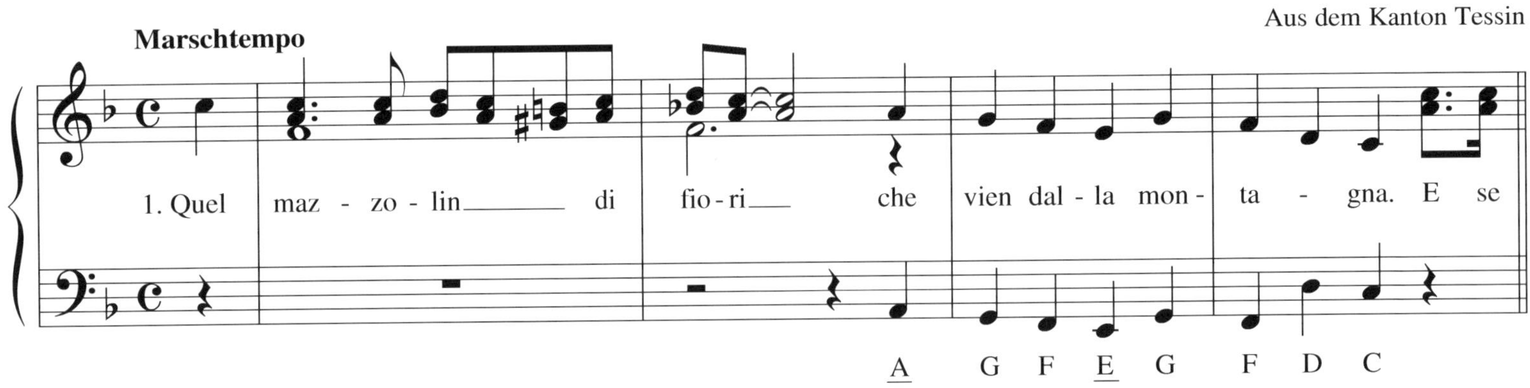

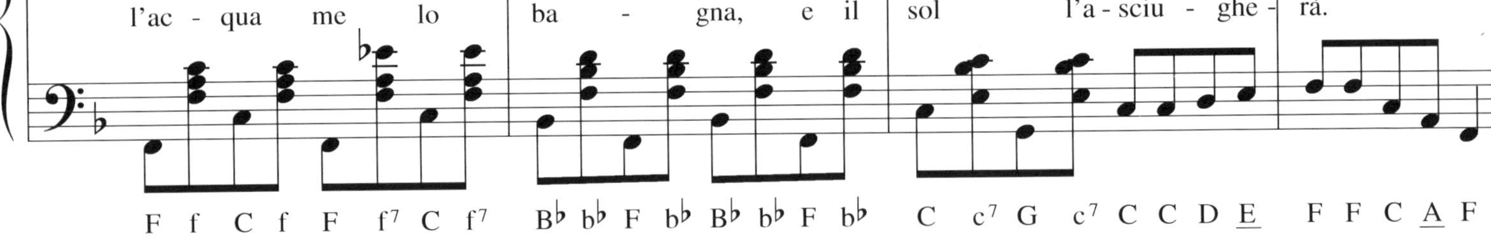

2. Lo voglio regalare, perchè l'è‿un bel mazzetto.
‖: Lo voglio dare‿al mio moretto,
questa sera quando vien! :‖

3. Stasera quando viene, sarà una brutta sera.
‖: E perchè sabato sera, non è venuto a me. :‖

4. Non è venuto a me, andò alla Rosina,
‖: E perché mi son poverina, mi fa pianger‿e sospirar. :‖

5. Piangere e sospirare, sul letto dei lamenti,
‖: E che cosa‿dirà la gente, e cosà dira di me! :‖

6. Dirà che son tradita, tradita nell'amore,
‖: Ed a me mi piange il cuore, e per sempre piangerà. :‖

Soldati Ticinesi

Aus dem Kanton Tessin

2. ‖: Ho girato l'Italia‿al Tirol, :‖
‖: ma per trovare una verginella,
ciao, morettina bella, viva l'amor! :‖

3. ‖: Verginella non posso trovar, :‖
‖: mi basteria che fosse bella,
ciao, morettina bella, viva l'amor! :‖

Quattro cavai che trottano

2. Affaccia-ti‿alla‿fi-nestra,
bruna, la bella bruna,
ch'al chiaro della luna,
ch'al chiaro della luna.
Che bella notte che fa,
in gondoletta si va
cola Lise'ta bella
a far l'amor.

3. Bruna tu sei gentile.
gentile fra‿le più belle,
bella come le stelle,
bella come le stelle.
Che bella notte che fa,
in gondoletta si va
cola Lise'ta bella
a far l'amor.

4. E noi che siamo militi,
amiamo‿il vino buono,
ma più le belle donne,
ma più le belle donne.
Che belle notte che fa,
in gondoletta si va
cola Lise'ta bella
a far l'amor.

Era un bel lunedi

Aus dem Kanton Tessin

2. Quando un bel mattino vidi tra quei signori
spuntare‿un morettino che mi facea l'amore.
Vendendo sempre fiori di rose‿e gelsomini
sento‿il mio cuor svenire per quel bel morettino.

3. Mi disse pian pianino, vorrei un mazzolino,
e gli risposi allor di rose‿e gelsomini.
Vendendo sempre fiori di rose‿e gelsomini
sento‿il mio cuor svenire per quel bel morettino.

Addio la caserma

Aus dem Kanton Tessin

2. Col fazzoletto‿in mano
s' asciugheranno‿gli occhi
vedendo‿i goivinotti
andare‿a fa il soldà.
Vederli andà‿al soldato,
andare alla guerra,
e poi cascar per terra
colla ferita‿al cor.

3. Con la ferita‿al core,
colla ferita‿in vita,
ohi mamma‿son tradita,
tradita nell'amore.
Con la ferita‿al core,
colla ferita‿in vita,
ohi mamma‿son tradita,
tradita nell'amor.

Fontaunas clar resunan

2. Jeu sentel la fladada dil vent sedestadau,
la veta leventada sut tschiel serein e blau.
Miu cor, er ti sesarva, canzuns lai sesalzar;
𝄆 passond tras nova jarva, tgi less ca selegrar. 𝄇

3. Cantond sco las fontaunas, jeu mon per cuolms e vals;
legrias primavaunas jeu partel culs utschals.
Tras l'aria fina, clara, o matg, ti vegns ornaus;
𝄆 sche seigies en la tiara da cor beneventaus. 𝄇

Adieu a l'Engiadina

Th. Gaugler
A. Bezzola

2. Be l'an passà eu retuornaiva
tar tai afflict ed amalà,
per tuot qualchosa am manchaiva;
soffriva quà, pativa là;
tü m'hast levà mal e dolur,
o bella val, o bun dottur!

Meis char pajais, fintant splendura
sur munts e val glün' e sulai,
fintant tras spelma l'En murmura,
nos cor nun ama con a tai!

3. Davent da mia Engiadina
am maina hoz darcheu la sort;
Eu pigl cumgià dal vegl Bernina,
cumgià cridand dal Piz Linard.
O sajat vus duos protectuors
da mia chas' e genituors!

Meis char pajais, fintant splendura
sur munts e val glün' e sulai,
fintant tras spelma l'En murmura,
nos cor nun ama con a tai!

Schweizerpsalm

A. Zwissig (1795 – 1854)
L. Widmer (1808 – 1867)

2. Kommst im Abendglühn daher;
find ich dich im Sternenheer,
Dich, Du Menschenfreundlicher, Liebender!
In des Himmels lichten Räumen
kann ich froh und selig träumen;
𝄆 denn die fromme Seele ahnt 𝄇
𝄆 Gott im hehren Vaterland. 𝄇

3. Ziehst im Nebelflor daher,
such ich dich im Wolkenmeer,
Dich, Du Unergründlicher, Ewiger!
Aus dem grauen Luftgebilde
bricht die Sonne klar und milde,
𝄆 denn die fromme Seele ahnt 𝄇
𝄆 Gott im hehren Vaterland. 𝄇

4. Fährst im wilden Sturm daher,
bist du selbst uns Hort und Wehr,
Du, allmächtig Waltender, Rettender!
In Gewitternacht und Grauen
lasst uns kindlich ihm vertrauen!
𝄆 Ja, die fromme Seele ahnt 𝄇
𝄆 Gott im hehren Vaterland. 𝄇